APPRENTIS LECT...

J'AI LA BOUGEOTTE

Page Sakelaris

Illustrations de Richard L. Torrey

Texte français de Louise Binette

Éditions
SCHOLASTIC

À Isabelle, Bennet et leur papa. Vous me donnez la bougeotte.
— P.S.

À Sue, Heather et Drew
— R.L.T.

Catalogage avant publication de la
Bibliothèque nationale du Canada

Sakelaris, Page
J'ai la bougeotte / Page Sakelaris;
illustrations de Richard L. Torrey;
texte français de Louise Binette.

(Apprentis lecteurs)
Traduction de : Giggle Belly.
Pour enfants de 3 à 6 ans.
ISBN-13 978-0-439-96259-9
ISBN-10 0-439-96259-5

I. Torrey, Rich II. Binette, Louise
III. Titre. IV. Collection.
PZ23.S24Ja 2004   j813'.6   C2004-902769-7

Édition publiée par les Éditions Scholastic, 604, rue King Ouest, Toronto (Ontario) M5V 1E1.

6 5 4 3 2   Imprimé au Canada   08 09 10 11 12

J'ai la bougeotte…

quand on me chatouille,

quand je salue
de la main
et que le nez
me gratouille!

Quand mon chien
fait des galipettes

et moi, des pirouettes.

Quand je claque des doigts
et que j'ai un sourire
grand comme ça!

Quand je hoche la tête,

quand je me tire l'oreille,

quand j'ai le cœur en fête

et que je retombe
sur mes orteils!

Quand je me rafraîchis,

quand j'effleure mes cheveux,

quand j'applaudis et
que je danse d'un pas joyeux!

Quand je fais un clin d'œil,

quand je donne un baiser,

quand je hausse les épaules

et que je suis tout entortillé!

LISTE DE MOTS

applaudis
baiser
bougeotte
ça
chatouille
cheveux
chien
claque
clin d'œil
cœur
comme
danse
de
des

doigts
donne
effleure
en
entortillé
épaules
et
fais
fait
fête
galipettes
grand
gratouille
hausse
hoche

j'ai
je
joyeux
la
le
les
main
me
mes
moi
mon
nez
on
oreille
orteils

pas
pirouettes
quand
que
rafraîchis
retombe
salue
sourire
suis
sur
tête
tire
tout
un